ISBN 978-2-244-49105-9

Juliette

fête son
anniversaire

Texte et illustrations de
Doris Lauer

Editions Lito

Pour mon anniversaire, tu viendras le : *samedi 16*

-Qui veux-tu inviter à ton anniversaire, Juliette ?
- Tous mes amis ! Dis, maman, on pourrait se déguiser. Ce serait rigolo !

Maman prépare un gros gâteau
au chocolat décoré de fraises
et de bonbons. Juliette le goûte :
-Mmm ! C'est bon !
C'est moi qui mets les bougies !

-Alors il faut : des ballons,
des lampions, des boissons,
des couverts en plastique...
-Et des bonbons ! s'écrie Juliette.

-Regarde en quoi je me suis
déguisée , maman !
Driiing !

C'est Paco avec un gros cadeau.
- Qu'est-ce que c'est ?
- Ben, c'est pour toi !

Voici Quentin l'Indien, Lola la sorcière,
Armelle l'abeille, Julien le lapin,
Margot le robot, Thomas le papa et
un fantôme ... Houuu... Houuu...

-Mais les fantômes, ça n'existe pas !
Arrête, Guillaume ! Je sais que c'est toi !
-On joue à quoi ? demande Lola.
-À monter à califourchon ! décide Juliette.

- Ffff ! Bravo, Juliette !
- Je veux ce gros morceau !
- Moi aussi !
- J'ai pas eu de fraises !

Tous les invités sont partis.
Juliette est ravie.
C'était un anniversaire très réussi.
Youpi !

www.editionslito.com

Lito
41, rue de Verdun 94500 Champigny-sur-Marne
Imprimé en UE
Loi n° 49-956 du 16 juillet 1949 sur les publications destinées à la jeunesse
Dépôt légal : avril 2010